KB088007

마법소녀 마도카☆마기카 신장완천판

[하]

그림 하노카게
원작 Magica Quartet

[목 차]

제 7 화 진심과 마주할 수 있나요? —————— 003

제 8 화 난 정말 바보야 —————— 037

제 9 화 그런 건 내가 용납 못해 —————— 075

제10화 이제 누구에게도 기대지 않겠어 —————— 112

제11화 마지막으로 남은 이정표 —————— 152

최종화 내 최고의 친구 —————— 188

데굴...

우릴 속였구나.

제 7 화
진심과
마주할 수 있나요?

왜 알려주지 않았어?

물어보지 않았으니까.

딱히 몰라도 불편할 것 없고.

그리고 나는 '마법소녀'가 되어달라고 틀림없이 부탁했는데?

실제 모습이 어떤지는 말하지 않았지만.

사실 마미조차도 마지막 순간까지 모르고 있었어.

그렇게 되지 않도록 나는 너희의 혼을 실체화해. 늘 지니고 다니면서 지킬 수 있도록 해준 거야.

인간은 생명을 유지할 수 없게 되면 정신도 소멸해버려.

조금이라도 안전하게 마녀와 싸울 수 있도록.

예를 들어 배에 창이 박혔을 때,

육체의 통각이 얼마나 자극을 받는가 하면….

누가 그렇게 해달랬어?! 쓸데없는 짓을…!

…너는 싸움을 너무 쉽게 보고 있어.

4

왜…,

어째서 우리를 이렇게….

익숙해지면 통각을 완전히 차단할 수도 있어.

하지만 움직임이 둔해지니까 추천하지는 않아.

싸움이라는 운명을 받아들이는 한이 있어도 너에게는 이루고 싶은 소원이 있었지?

그건 틀림없이 이루어졌잖아?

자,
그럼 여러분.

아침 조회
시작할게요~.

......

이런 몸이
되어버렸으니,

나는.

무슨 얼굴로
쿄스케를
만나면 좋지…?

포옹…

벌떡

!

언제까지
틀어박혀
있을 거야?
멍청아.

……

할 얘기가 있어.

잠깐 얼굴 좀 보자.

아삭

……．

난 크게 신경
안 쓰기로 했어.

…너는
후회하고
있어?

이런 몸이
되어버린 걸.

그래,
자업자득이라
생각하면 편해.

자신만을 위해
살아가면
전부 자기 탓으로
돌릴 수 있어.

남을 원망할
일도 없고,
후회할 일도
없지….

뽁

이유야 어떻든
이 힘 덕분에
마음대로 뭐든지
할 수 있으니까.

…자업자득
이잖아,
너는.

—그렇게 생각하면
대부분의 일은
짊어질 수 있어.

이런 곳까지
데려와서
뭘 어쩌려고?

...이야기가 좀
길어질 거야.

먹을래?

음식을
함부로
다루지 마!

…죽여
버린다!

…여긴
말이야,

우리 아빠
교회였어.

가족을
파괴한 거야.

…내 기도가,

기적이라는 건
공짜가 아냐.

희망을 바라면
그만큼의 절망이
생기는 법이지.

그런 식으로
균형을 맞추면서
세상은
돌아가고 있어.

남의 마음은
생각하지 않고
멋대로 소원을
비는 바람에
결국 모두가
불행해졌어.

그래서
맹세했어.
두 번 다시
남을 위해
마법을 쓰지
않겠다고.

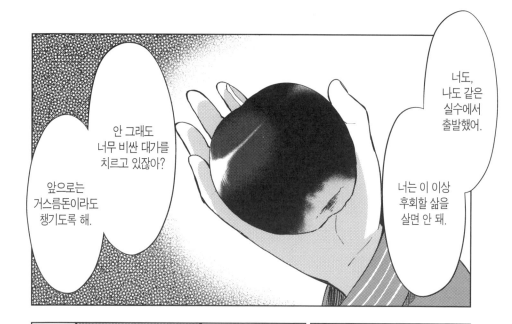

너도, 나도 같은 실수에서 출발했어.

안 그래도 너무 비싼 대가를 치르고 있잖아?

너는 이 이상 후회할 삶을 살면 안 돼.

앞으로는 거스름돈이라도 챙기도록 해.

그건 사과할게.

미안해.

…내가,

…하지만,

너에 대해 여러모로 오해했던 모양이야.

18

나는 남을 위해 소원을 빈 것을 후회하지 않아.

대가가 너무 비싸다는 생각도 안 하고.

이 힘은 사용하기에 따라 얼마든지 훌륭하게 활용할 수 있을 거야.

그 사과는 어떻게 얻은 거야?

가게에 지불한 돈은 어디서 났어?

…어째서 넌…

말할 수 없겠지.

그럼 나는 그 사과를 받을 수 없어.

그리고 말이야.

으음... 감기 기운이 좀 있었거든.

사야카...

사야카, 어제는 왜 결석이었나요?

이제 괜찮아. 걱정할 필요 없어.

자, 오늘도 열심히―.

어머?

카미죠, 퇴원했나 봐요?

사아카도
가봐.

아직 말
안 걸어봤지?

……

난…
됐어.

22

저는…
이제 자신에게
거짓말을
하지 않기로
결심했어요.

정말로
그게
다인가요?

사야카,
당신은
어떤가요?

진심과
마주할 수
있나요?

당신은
소중한
친구예요.

저는 새치기도,
가로채는 짓도
하고 싶지
않아요.

…그러니
하루만
기다리고자 해요.

무… 무슨
얘기를
하는 거야…?

24

저는 내일 방과 후,
카미죠 군에게
고백하겠어요.

그때까지
후회가 남지 않도록
결단을 내려주세요.

카미죠에게
마음을 전할 것인지
말 것인지.

……

오늘도…,

따라가도
될까?

탁…

저벅

저벅

…마도카.

…어떻게
넌 그렇게
다정해?

나에게는
그럴 만한
가치가
없는데….

사야카를
혼자 두고
싶지 않아.

그러니까….

26

한순간이지만
그때 히토미를
구하지 말 걸
그랬다는
생각이 들었어…

…나 말이야,
오늘 후회할 것
같았어.

정말 최악이야…
정의의 사도
실격이라고….

…….

마미 선배를
볼 면목이….

히토미한테….
쿄스케를
빼앗길 거야….

오늘 그 녀석은 마녀와 싸우고 있어.

무익한 싸움은 아니야.

놀랍네. 네가 그런 이유로 사냥감을 양보하다니.

...흥.

...저 바보, 고전하는 모양이네.

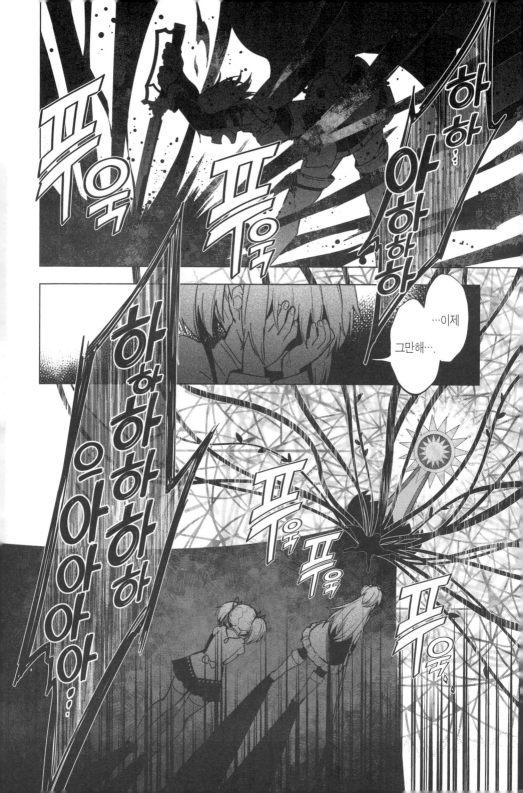

PUELLA MAGI
MADOKA
MAGICA

사야카…

이제 됐지?

너에게 빚을 지긴 싫어.

뭘 떨고 그래?

돌아가자, 마도카.

너….

후욱.

!

꽉…

…저 멍청이.

아, 미안… 좀 지쳤나 봐….

무리하지 말고 잡아.

사야카.

그렇게 싸우면 안 돼….

오늘은 운이 끝났습니다

그러면 안 돼.

언젠가는 정말로 다치고 말 거야….

아프지 않으니까 다쳐도 상관없다니.

그렇게 해서 이긴다 해도 사야카에게는 아무 도움도 안 돼.

그런 식으로 싸우지 않으면 이길 수 없어.

나에게는 재능이 없으니까.

나한테 도움이 된다는 게 뭔데?

날 위해
뭔가 해주고
싶다면…,

먼저 나랑
같은 입장이
되어봐!!

아무것도
못하는
주제에.

다 아는
것처럼
말하지 마…!

아무것도
하지 않는
널 대신해
내가
이런 고생을
하는 거야!

사야카…!

따라오지
마.

못하겠지?!
당연해!
동정심만 가지고
인간을 관둘 수
있을 리가
없잖아?!

찰
팍

찰
팍

찰
팍

난 바보야.

왜 그런
소리를
했을까…?

질척…

이젠
돌이킬 수가
없어…!

예상이 빗나갈 경우에도 대처할 수 있도록 방어선을 펼치려면,

적어도 두 곳의 영맥(靈脈)을 장악해야 해.

발푸르기스의 출현 예측 범위는 이 정도.

아케미 호무라

통계?

이 마을에 발푸르기스가 왔다는 얘기는 들은 적이 없는데?

그 예측의 근거는 뭐야?

…….

통계야.

그건 나도 부탁하고 싶네.

조금만 더 수중의 패를 보여줘도 되잖아?

서로를 신용하자고 말을 할 자격은 없지만,

어디서 튀어나온 거야, 이 자식…!

아케미 호무라.

이런, 나는 초대받지 못한 손님이라 이거야?

애써 중요한 정보를 가지고 왔는데.

뭐어?!…

너 때문 이잖아….

미키 사야카의 소모가 예상보다 빨라.

마법을 사용하지 않을 때도 그녀 자신이 저주를 낳기 시작했어.

!

어째서
모르는 거지?

여유가 없으면
마녀만 노려서
처리해야 돼.

48

이번에는 무슨 꿍꿍이야…?

적당히 해!

이제는 남을 의심할 때가 아니잖아!

쓰도록 해.

소울 젬은 이미 한계일 거야.

휙…

티잉

이대로 가다가는…,

넌 죽을 거야.

…그래도 상관없어.

그러니 누군가를
버리거나
이용하지 않아.
보상도 필요 없어.

난 너희와는
다른 마법소녀가
되기로 결심했어.

그러다
마녀를 죽이지
못하게 되면…
내 가치는
거기서 끝이지.

마녀를
이기지 못하는
나 같은 건
이 세상에
필요 없어.

네가
거짓말을
하니까.

…나는 널
도와주고
싶을 뿐이야.

근데
왜 믿어주지
않는 거지?

덜컹.

덜컹.

방심하면 금세 혼인신고니 뭐니 귀찮게 구니까 기어오르게 두면 안 돼.

번 돈을 모조리 바치게 만들어야지. 여자는 원래 금방 바보니까. 쓸데없는 데에다 돈을 써버린단 말이지.

버릴 때가 진짜 짜증 나잖아요.

진짜 사람으로 취급하면 안 돼요. 개라고 생각하고 교육을 시켜야지.

덜컹.

덜컹.

덜컹.

응?

그 여자에 대해,

저기.

좀 더 들려줘.

어떻게 돼버릴 것 같거든…?

안 그러면 나,

...전에 말했던,

내가 엄청난 마법소녀가 될 수 있다는 얘기.

그거 사실이야?

'엄청나다' 정도면 겸손한 표현이지.

아마 세계 최강의 마법소녀가 될 거야.

원하기만 하면 전능한 신도 될 수 있을지 몰라.

큐베가 못하는 일이라도 나라면 할 수 있을까…?

어째서 네가 그만한 소질을 가지고 있는지 그 이유는 나도 모르지만….

……

무슨 뜻이야?

히익—!

우리… 어디서 만난 적… 있어?

!

…호무라.

그건… 호무라 얘기야?

나 호무라와,

어딘가 에서…

…그….

두근…

그건…!

......

...... 흑…!

... 미안해.

난 사야카를 찾아야 해.

기다려 …!

미키 사야카는 이미…!

소용없다는 걸 뻔히 알면서,

질리지도 않나 보구나.

64

쓸데없이
망가뜨리면
곤란해.

냐압

네 손에
죽은 건 이게
두 번째지만,

아깝단
말이야.

플짝

깨억

넌 이 시간축
인간이
아니구나.

콰직

하지만 덕분에
공격의 특성이
보이기 시작했어.

아까 그건
시간조작
마술이지?

우물
우물

네 정체도,
속셈도,

모두
알고 있어.

뚜벅…

뚜벅…

드디어 찾았네…

탁…

…미안해. 번거롭게 만들어서.

오늘

너 언제까지 고집부릴 거야?

응.

뭐… 뭐야? 너답지 않게….

난 정말,

바보야….

또옥…

조심해.

손을 놓으면
네 시간도
멈춰 버려.

짐 짐...

!

이건...

척
컥

너도
지켜보고
있었잖아?

어떻게
된 거야
...?!

저 마녀는
뭐냐고?!

......

한때
'미키 사야카'
였던 존재야.

일단은 물러나야 해.

지금의 넌 방해만 될 뿐이야.

…도망 치려고?

큭…!

사야카…?

자박…

부웅

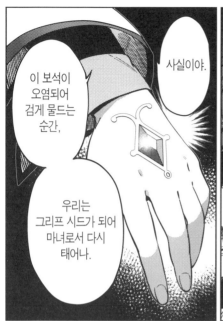

이 보석이 오염되어 검게 물드는 순간,

사실이야.

우리는 그리프 시드가 되어 마녀로서 다시 태어나.

······ 거짓말··· 이지···?

그 소원에 합당한 저주를 짊어졌을 뿐이야.

그래서 마법소녀가 됐단 말이야!!

그럴 수가···! 어째서?! 샤아카는···,

마녀로부터 사람들을 지키고 싶다고··· 정의의 사도가 되고 싶다고···.

그런데 왜···.

그 아이는 누군가를 구했던 만큼 앞으로는 누군가를 저주하며 살아가겠지.

너…
그러고도
사람이냐?!

……윽

으… 윽
으으

물론
아니야.

팍

으아아

너도
마찬가지고.

이상한 곳에
버려두면
뒤처리가
귀찮아지니까.

고생해서
시체를
가져왔으니
조심해서
다뤄.

뭐…?!

쿡…
제길…!

…살아 있었구나.

할 얘기가 있어, 마도카.

착각하지 말아줘. 우리는 너희 인류에게 악의가 있는 게 아냐.

어쩔 수 없는 사정이 이런 결과를 초래했을 뿐이지.

너는 모두를 마녀로 만들기 위해,

계약을 한 거야?

사정?

너는 '엔트로피'라는 말을 아니?

......?

모든 것은 이 우주의 수명을 연장하기 위해서야.

에너지는 형태의 변환에 따라 손실이 생기지.

간단하게 비유하자면 장작불에서 얻을 수 있는 열에너지는,

우주 전체의 에너지는 시간이 갈수록 줄어들기 마련이야.

나무를 기르는 노력과 동등하지 않다는 뜻이야.

장작불에서 얻을 수 있는 열에너지

동등하지 않음

장작불 재료를 기르는 데 필요한 에너지

따라서 우리는 열역학의 법칙에 지배당하지 않는 에너지를 찾아 헤맸지.

'속인다'는
행위 자체를
이해할 수가 없어.
인식의 차이에서
생기는
판단 미스잖아?

지구에서
지금도 4초에
100명씩 불어나는
너희들이,

우리는
이해가 안 돼.

어째서
단일개체의
생사를 가지고
그렇게 시끄럽게
구는 거야?

당연하지….

…이래 봬도
난 변명을 하러
온 거지만,

…마도카.

아무래도
무리인 것 같네.

언젠가 넌 최고의 마법소녀가 되고,

그리고 최악의 마녀가 되겠지.

그때가 되면 우리는 전례 없는 대량의 에너지를 손에 넣을 거야.

......

...흑....

이 우주를 위해 죽어줄 마음이 들면 언제든지 불러줘.

기다리고 있을 테니까.

그렇게까지 해서
시체가 썩지 않도록
유지하는 게
무슨 의미가 있지?

포옹...

내가
아는 한은.

없어.

...이 녀석의
소울 젬을
되돌릴 방법은?

마법소녀는 섭리를 벗어난 존재야.

'아는 한'?

너희가 그 어떤 부조리를 보여준다 해도 전혀 놀라울 건 없지.

누가 네 조언 같은 걸 구한대…?!

헉

할 수 있다는 소리구나?

필요 없어!

전례는 없어. 미안하지만 조언은 못해주겠네.

…저기,

할 말 이라는 게 뭐야…?

미키 사야카.

살리고 싶지 않아?

!

몰라.

살릴 수 있어…?

하지만 살릴 수 없다는 게 확실해지기 전에는 포기하고 싶지 않아.

멍청한 짓으로 보일지도 모르지만.

난 카나메 마도카야.

강요는 안 해. 널 지킬 수 있다는 보증도 없고….

…아냐, 도와주고 싶어.

순서가 엉망이네….

…하하.

사쿠라 쿄코야. 잘 부탁해.

어제의
마력 패턴과
일치해.

틀림없이
그 녀석이야.

친구
아니었어?

…아니.

이해관계가
일치해서
손을 잡았을
뿐이야.

그 녀석은
안 돼.
그럴 성격이
아니야.

호무라도
도와주지
않을까…?

...앞으로
며칠 후에
'발푸르기스의
밤'이 와.

마법소녀에게는
최대의 적...
무시무시한
거물급 마녀지.

어차피
혼자서는
상대할 수 없어.
그래서 공동전선을
펼치기로 했거든.

발푸르기스?

항상...
남에게
싸움을 맡기고
아무것도 하지
않는 난,

역시...
비겁한 걸까?

뚜벅...

뚜벅...

...저기,
쿄코.

응?

왜 네가
마법소녀가
돼야 하는데?

그건...

사쿠라 쿄코는,

정말로 미키 사야카를 구할 가망성이 있었어?

그거야 당연히 불가능하지!

설마!

왜 말리지 않았어?

…너 혼자서는
발푸르기스의
밤을 상대로
승산이 없어.

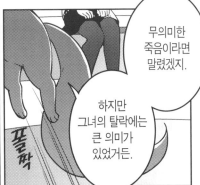

무의미한
죽음이라면
말렸겠지.

하지만
그녀의 탈락에는
큰 의미가
있었거든.

이 마을을 지키려면
마도카가 마법소녀가
되는 수밖에 없지.

그렇게는
안 둬…,
절대로.

저기, 아케미.

전에는 어디 학교 다녔어?

동아리 같은 건 했었어?

그게….

머리카락 되게 길다~ 땋는 거 힘들지 않아?

그게, 나는….

얘들아, 잠깐 실례할게!

아케미는 쉬는 시간에 보건실에서 약을 먹어야 하거든.

난 보건위원이야.

양호실 어딘지 아니?

그랬어?

미안해, 아케미.

자, 아케미도 사양하지 말고.

네….

마미 선배는 베테랑이지만 난 아직 신입이야.

겨우 지난주에 큐베랑 계약했으니까.

카나메는… 늘 그런 것들과 싸우고 있나요…?

응~?

으음~ 맛있어~!

121

…그럼 다녀올게.

그럴 수가….

토모에 선배는,

죽어 버렸는데….

그러니까 가는거야.

...호무라.

무모해... 이길 수 있을 리가 없어! 같이 도망가자!

아무도 카나메를 탓하지 않을 거야...!

발푸르기스의 밤을 막을 수 있는 건,

나밖에 없으니까.

나랑 친구가 되어줘서 기뻤어.

난 마법소녀가 되길 정말 잘했다고 생각하고 있어.

지금도 자랑스러워. 그때… 널 구했다는 게.

싫어….

가지 마….

병원…?

…어…?

?

앗…!

꿈이…
아니야?!

15 16
퇴원일!

나..
아직 퇴원하지
않았네?

시간 정지라…

확실히 대단한 능력이지만 사용법이 문제네.

하아 하아

호무라, 괜찮아?

…으~ 음….

너덜

타 딱

타 딱

사락…

아케미, 부탁할게!

네… 넷!

말해줘야
해···

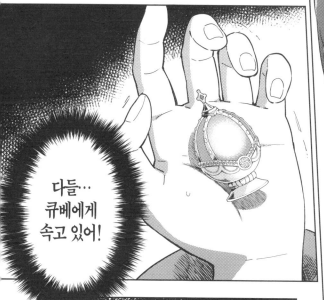

다들···
큐베에게
속고 있어!

글쎄···

······

어디서 이상한 소리 듣고 이간질이라도 하려는 거야?

그… 그건….

큐베가 그런 거짓말을 해서 무슨 이득이 있는데?

너 설마 그 쿄코라는 녀석과 한패는 아니겠지?

그… 그렇지 않아!

사야카, 그거야말로 분열을 일으키는 말이야.

갑자기 눈앞에서 폭발 같은 거 일으키지 말라고.

몇 번이나 말리들 뻔했는지 알아?

…어쨌든 난 이 녀석과 팀을 짜는 거 반대야.

사야카, 멈춰! 우리를 못 알아 보겠어?!

......큭!

케이이잉...

...미키.

미안해.

그래….

우리도
이걸로
끝이구나.

절레…

그리프 시드
남아 있어?

있지…, 이대로 둘 다 괴물이 되어서, 모조리 다 엉망진창으로 만들어버릴까?

싫은 일 슬픈 일 전부,

없는 거나 마찬가지일 정도로 망가뜨리면….

거짓말 이야.

그건 그것대로 나쁘지 않….

딱 하나 남겨뒀어.

……!

그러니까,

호무라는 과거로 돌아갈 수 있다고 했지?

이런 식으로 끝나지 않도록 역사를 바꿀 수 있다고….

부탁할게….

찌잉

왜… 나 같은 거한테…!

슥…

큐베에게 속기 전의,

구해줄 수… 없을까…?

바보 같은 나를,

변신한 마도카는 정말 굉장했어.
그녀라면 최강의 마법소녀가 될 거라고 예상하긴 했지만,
설마 저 발푸르기스를 일격으로 쓰러뜨릴 줄이야….
쿠오오
그 결과 어떻게 되는지도,
오오오
예상하고 한 짓이야?
오오

몇 번이고 반복하겠어.

단 하나뿐인 나의 친구.

호무라…?

너를 위해서라면
나는 영원한 미로에 갇힌다 해도 상관없어.

시간 역행자 아케미 호무라.

제 11 화
마지막으로 남은 이정표

…그렇군. 네 존재가,

카나메 마도카에 관한 한 가지 의문에 대한 해답을 찾아줬어.

수많은 평행세계를 횡단하며,

네가 바라는 결말을 찾아 지난 한 달 동안을 반복하고 있지.

…무슨 소리지?

한 나라의 여왕이나 구세주라면 몰라도 지극히 평범한 인생만을 걸어온 마도카에게,

왜 그렇게 막대한 인과의 실이 집중되어 있었는지 이해할 수 없었지.

마법소녀의 잠재능력은 짊어진 인과의 양으로 결정돼.

그녀의 '소질' 말이야.

그래, 호무라.

강력한 마법소녀가 되어갔던 건 아닐까?

어쩌면 마도카는 네가 시간을 되돌릴 때마다

...역시,

네가 원인이었어.

네가 같은 이유와 목적을 가지고 몇번이나 시간을 거슬러 올라가는 사이에,

마도카라는 존재를 중심축으로 여러 평행세계가 나선형으로 묶이고 만 거겠지.

그게 무슨 뜻이지…?

네가 시간을 되돌리는 이유는 단 하나, '마도카의 안전'이야.

그 결과 서로 얽힐 일이 없는 평행세계의 인과라는 실이 모조리 지금 시간축에 존재하는 마도카와 이어지고 말았다면…,

그녀의 어마어마한 마력계수도 납득이 가.

네가 되돌려 온 시간 속에서 순환된 모든 인과가 돌고 돌아 카나메 마도카에게로 이어진 거야.

사야카도
쿄코도,

죽어
버렸어.

아무래도
상관없다는
말이야?

뜻밖의
전개는 아니야.
이전부터
조짐은 있었지.

다들 널 위해
죽은 거나
마찬가지인데.

쌰
아
아

절
레!

그들은 인간의
양식이
된다는 것을 전제로
생존경쟁에서
보호를 받으며
번식에 성공했지.

너희들도
이상적인
공생관계에
있잖아?

그렇다면 너는
가축이 희생될 때마다
죄책감을 느끼니?

인큐베이터와
인류가 걸어온
역사를….

우리가 너희와
다를 게 없다는
말이야…?

그래.

믿어지지
않는다면
보여줄까?

…모두들
믿었는데
배신당한
거야?

소원으로 시작해
저주로 끝난다.

이때까지
수많은 마법소녀가
반복해온 순환이야.

그녀들을
배신한 건
내가 아닌
'자기 자신의
소원'이야.

큭…!

후
욱
…

그 어떤
희망이라 해도
이치에 맞지 않는 한
반드시 어딘가
뒤틀림이
생기게 되어 있어.

그걸 배신이라
치부한다면
애초에 소원을
비는 것 자체가
잘못이지.

그 일그러짐에서
재앙이 태어나는 건
당연한 섭리야.

하지만
어리석다고
말하지는 않겠어.
그런 식으로
과거에 흐른
모든 눈물을
바탕으로,

지금
너희들의 생활이
이루어진 거니까.

쓱...

계속
그 아이들을
지켜보면서
너는 아무것도
느끼지 못했어?

그걸 이해할 수
있었다면
처음부터 이런 별에
올 필요도 없었지.

철컹커억

다들 얼마나
괴로웠을지…
알아주려고
한 적은
없었던 거야?

들어가도
될까?

…혹시
도시 전체가
위험해?

'발푸르기스의
밤'이지…?

……

쿄코에게
들었어.

계속 여기에서
준비하고
있었구나.

…그 녀석은 결계에 숨어서 자신을 지킬 필요가 없어.

한 번 모습을 드러내기만 해도 수천 명이나 되는 사람들이 희생돼.

여전히 평범한 사람에게는 보이지 않으니까,

지진이나 회오리 같은 자연재해로 오해할 뿐….

…….

그럼 반드시 물리쳐야겠네.

지금 싸울 수 있는 마법소녀는 호무라밖에 없어.

그렇다면….

혼자서도 충분해.

쿄코의 지원도
사실은 필요
없었어.

그녀의
체면을
세워줬을
뿐이야.

나 혼자서도
발푸르기스를
쓰러뜨릴 수
있어.

…아하하,
왜 이럴까
…?

전혀
괜찮을 거라는
생각이 안 들어…

호무라가
하는 말이
사실이라고
생각할 수가
없어…

호무라를
믿고 싶은데,

거짓말쟁이라
생각하고 싶지
않은데….

—?!

너와는
다른 시간을
살고
있으니까….

사실대로
말할 수
있을 리가
없잖아.

왜냐면
나는….

그게 내가
처음에 먹었던
마음이야.

'마도카를
구한다'
….

그리고
이제는 하나뿐인,
마지막으로 남은
이정표.

제발…
내가 널
지키게 해줘.

이해하지
않아도 돼….
아무것도
전해지지 않아도
상관없어.

그래도
부탁할게….

...온다....

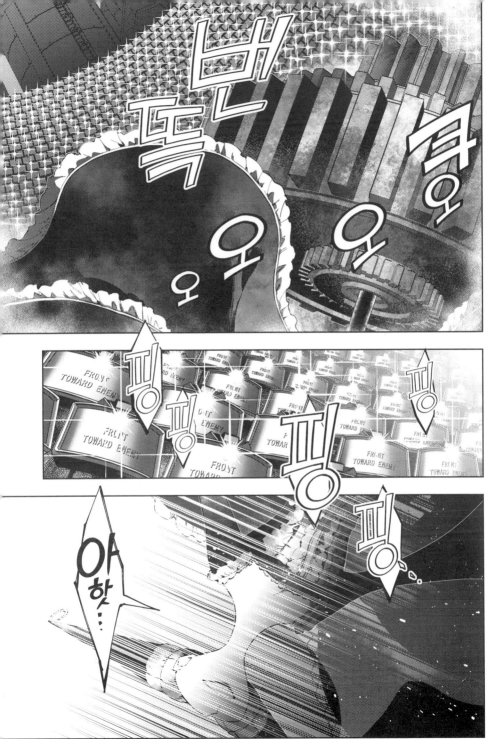

……

정말
호무라 혼자서
이길 수 있을까?

지켜보도록 해.
아케미 호무라가
얼마나
버틸 수 있을지.

새삼스레 말로
설명할 것도
없지.

…왜 저렇게까지
싸우는 걸까…?

그녀가 아직
희망을 추구하고
있기 때문이야.

만약의 순간에는
이 시간축도
무위로 돌리고
호무라는 계속
싸워나가겠지.

몇 번이고
지치지도 않고
이 무의미한
연쇄를
반복할 거야.

지금의
그녀에게 있어
멈춰선다는 건
곧 포기
한다는 것.

아케미 호무라는 절망에 굴복하고 그리프 시드로 변할 거야.

무슨 짓을 해도 헛수고다. 마도카의 운명을 바꿀 수 없다고 확신하는 그 순간.

승산의 여부와는 상관없이 싸우는 수밖에 없는 거야.

그렇기 때문에 선택지는 없지.

그녀 스스로도 잘 알고 있어.

조용

희망을 품는 한 구원은 없어.

너도 옆에서 봐왔잖아?

......

꽈
악...

덥석

잠깐.

마도카,
엄마한테
뭐 숨기는 거
있지?

...엄마...

어딜
가려고?

말할 수 없다
이거야?

......

누군가의
거짓말에
휘둘리는 건
아니지?

…절대
이상한 짓은
하면 안 돼.

응.

와
아앙

투
웅

엄마.

고마워.

PUELLA MAGI

MADOKA
MAGICA

수많은 세계의
운명을 모아
인과의
특이점이 된 너라면,

최종화
내 최고의 친구

그 어떤
터무니없는
소원이라도
이룰 수 있겠지.

안 돼…,
그만둬….

호무라,
난 이제야
알았어.

마도카
…!

이루고 싶은
소원을 찾았지.

달그락...

그게 얼마나
무시무시한
소원인지는
알고 있니?

카나메.

...아마도요.

뭐 어때?

우물

응.
고마워,
쿄코.

…그럼 네가
맡겨뒀던 걸,

Campus
notebook

돌려줘야겠네.

싸울 이유를
찾은 거지?

도망치지
않겠다고
결심한 거
잖아?

그럼
어쩔 수 없지.

이젠 끝까지
달려나가는
수밖에.

그래…
너 역시 마도카처럼
시간을
초월하는 마법을
다룰 수 있었지.

……

여기는….

지켜보도록 해.
카나메 마도카라는
존재의 결말을….

그녀가 가져온
새로운 법칙에 맞춰
우주가 재편성
되고 있어.

나 역시,

카나메
마도카.

시작도 끝도
없어졌어.

이것으로
너의 인생은,

너라는 존재는
한 단계 높은
영역으로 올라가
그저 개념으로만
성립하게 됐지.

이 세상에
태어난 증거도,
그 기억도
이젠 어디에도
남아 있지 않아.

뭐야…
그게….

이제 아무도
너를 인식할 수 없고,
너 역시 누구에게도
간섭할 수 없어.

너는
이 우주의
일원이 아니게
된 거야.

언젠가
또 다시
만날 수
있을 거야.

가지
마…!

그때까지
아주 잠깐
헤어지는 거야.

기다려…!

!

마도카…?!

미안해,
난 모두를
마중하러
가야 해.

25번.

카미죠
쿄스케
입니다.

과제곡은
아베 마리아.

사야카를
구하려면 모든 걸
없었던 일로
만들어야 하는데,

하지만 그건
분명 사야카가
원하는 형태가
아닐 거야….

이런 결과밖에
만들어내지
못해서
미안해.

분명
행복해질 거야.

사야카…?

마도카….

아케미?

…?

마도카가…
누구야?

꼭 닮았네.

그렇구나….
나도
타츠야랑
어디서
봤던 걸까?

가끔
무척 그리운
울림으로 다가와.
마도카….

―혹시,

'마도카'가
누군지…
너도 아니?

네…,
알아요.

223

어머! 그 리본 참 귀엽네!

딱 내 취향이야!

살짝 놀랄 정도네!

그런가요….

만약 딸이 있었다면,

해줬을지도 모르겠네.

괜찮아! 이런 아줌마한테는 어울리지도 않아.

아 하 하

…드릴까요?

그런 좋은 에너지 회수 방법이 있었다면 우리들의 전략도 달라졌을 텐데.

…그래, 너희는 그런 녀석들이지.

실제로 정화하지 못한 소울 젬이 왜 사라지는지,

그 원리를 해명하지 못하고 있으니….

하지만 '마녀'라는 개념… 흥미롭기는 해.

…어라?

오늘 밤은 독기가 꽤 짙네.

마수 놈들이 끊이지도 않고 나타나는군.

세계의 뒤틀림은 그 형태를 바꿔 지금도 어둠의 밑바닥에서 사람들을 노리고 있다.

아무리 마녀가 태어나지 않게 된 세계라 해도,

그걸로 인간 세계의 저주가 완전히 사라진 것은 아니다.

가자.

투덜거려도 소용없어.

휘이잉

그래도 이곳은 과거에 그 아이가 지키려 했던 장소.

슬픔과 증오만을 반복하는 구제할 길 없는 세상이지만,

통실..

그러니
나는 계속
싸우겠어.

Don't forget. Always,somewhere,someone fighting for you.
While you remember her, you are not alone.

…저기,
카나메.

정말 나라도
괜찮겠어…?

난,

그….

음침한
데다,

카나메의
친구로는
도저히….

호무라.

영원히.

마법소녀 마도카☆마기카
신장판 하권을 읽어주셔서 진심으로 감사드립니다.
하권은 첫 만화판의 원고를
최대한 살리는 구성으로 만들었습니다.
('반역의 이야기'와 이어지므로 호무라의
헤어스타일은 애니메이션과 같지만요…)

마도카 10주년을 맞이해 이러한 형태로
축하하게 되어 큰 영광입니다.
제안을 해주신 호분샤 출판사,
협력해주신 여러분,
모든 독자님께 감사의 말씀 올립니다.

다음에 또 만나요—!

2021.11
하노카게

오랜만에 마도카의 여러 면들을
잔뜩 그릴 수 있어 즐거웠습니다

이 책은 2011년 간행된 만화판 『마법소녀 마도카☆마기카』를 바탕으로
재편 및 가필을 더해 새롭게 구성한 작품입니다.

P U E L L A   M A G I
MADOKA
MAGICA

마법소녀 마도카 ☆ 마기카 신장완전판 [하]

원작 Magica Quartet

그림 하노카게

2023년 2월 25일 초판 1쇄 발행
2024년 2월 29일 초판 3쇄 발행

◆역자:신민섭 ◆발행인:정동훈 ◆편집인:여영아 ◆편집책임:최유성
◆편집:김혜정,조은별 ◆디자인:김환검 ◆발행처:(주)학산문화사
◆등록:1995년 7월 1일 ◆등록번호:제3-632호
◆주소:서울특별시 동작구 상도로 282 학산빌딩
◆편집부:02-828-8988,8837 ◆마케팅:02-828-8986

PUELLA MAGI MADOKA MAGICA COMPLETE EDITION volume 2
ⓒMagica Quartet, HANOKAGE 2022
Originally published in Japan in 2022 by HOUBUNSHA CO., LTD., Tokyo.
Korean translation rights arranged with HOUBUNSHA CO., LTD., Tokyo,
through TOHAN CORPORATION, Tokyo.

ISBN 979-11-411-0140-4 07650
ISBN 979-11-411-0138-1 (세트)

값 13,000원